A GRANDE IMAGERIE

FANTASTIQUES

CRÉATURES

Conception
Émilie BEAUMONT

Textes
Sabine BOCCADOR

Dessins
Franco TEMPESTA

FLEURUS

FLEURUS ÉDITIONS, 15-27, rue Moussorgski, 75018 PARIS
www.fleuruseditions.com

LES ANIMAUX FANTASTIQUES

Les animaux fantastiques vivent aussi bien dans les lacs et les mers, comme le monstre du loch Ness et le kraken, que sur la terre ferme, comme la licorne, le basilic, la chimère ou le dragon, ou dans les airs, comme le griffon. Ils ont souvent un aspect physique extraordinaire, mélange de plusieurs animaux. C'est le cas de la chimère et du griffon. Ils sont généralement effrayants, à l'exception de la licorne, qui est belle et douce et craint la brutalité des humains.

LE MONSTRE DU LOCH NESS

Le monstre du loch Ness fait parler de lui depuis le Moyen Âge. Dans les eaux très profondes et très troubles de ce lac écossais, nombreux sont les témoins qui attestent l'avoir aperçu, mais il se fait tellement discret que le mystère reste entier aujourd'hui.

Un cousin des dinosaures

Le monstre du loch Ness aurait un long cou et une petite tête. Son corps serait énorme terminé par une queue, et ses pattes antérieu seraient dotées de nageoires. Il serait proche plésiosaures, qui ont vécu sur notre planète il des millions d'années. On raconte que ce mon préhistorique aurait survécu à la disparition d dinosaures il y a 65 millions d'années !

Des photographies du monstre au été prises, mais beaucoup d'entre ne sont que de purs canulars, co celle ci-dessous, datant de 1934. L a reconnu avoir trafiqué sa pho

Surnommé affectueusement Nessie par les Écossais, le monstre a fait l'objet d'une curiosité renouvelée à partir de 1933, quand l'accès au lac a été facilité. Nombreux sont les curieux et les passionnés qui continuent de se rendre sur les eaux du loch Ness afin de le rechercher.

Les poulpes géants ont inspiré la littérature fantastique. Dans le roman de Jules Verne « Vingt Mille Lieues sous les mers », l'équipage du Nautilus est attaqué par un kraken.

LE KRAKEN

Issu de la mythologie scandinave, le kraken est une créature marine semblable à un poulpe géant. Le plus souvent, il reste immergé à de grandes profondeurs. Quand les navires passent près de lui, il les attrape avec ses immenses tentacules et dévore les marins. Lorsque le kraken est au repos, une partie de son énorme dos sort de l'eau, semblable à une petite île sur laquelle les navigateurs pensent qu'ils peuvent accoster. Ils s'y installent et font du feu. C'est alors que le monstre plonge dans les profondeurs de la mer, entraînant les marins avec lui.

LES DRAGONS

Les dragons comptent parmi les créatures fantastiques les plus effrayantes des légendes et des mythologies du monde entier. Ils ressemblent à de gigantesques reptiles volants de 6 ou 7 m de long. Leurs pattes sont armées de griffes puissantes et leur queue, immense, fend l'air. Leur tête monstrueuse est quelquefois plantée de cornes.

Les dragons sont souvent liés au monde souterrain. On dit qu'ils gardent des trésors convoités par les humains dans une grotte profonde, une caverne ou à l'intérieur d'un volcan. L'habitat du dragon est sombre et inquiétant. Il en défend l'entrée avec une grande vigilance. Nombreux sont les jeunes gens qui tentent de terrasser le dragon pour avoir accès à ses trésors, mais seuls les héros au cœur pur y parviennent.

Pour se défendre et quand ils sont très en colère, les dragons crachent du feu, brûlant tout sur leur passage !

Dans les légendes et mythologies
occidentales, le combat avec le dragon
symbolise la lutte contre les forces du
Mal. Ainsi, saint Georges, un chevalier turc
d'origine, a raison d'un dragon qui veut
dévorer la fille du roi (ci-dessous).

MARTIR S. GEORGE. F. ABADAL.

Chance et prospérité en Asie

Contrairement au dragon occidental, le dragon oriental
n'est pas forcément mauvais. Il représente les forces
de la nature. En Chine, il est symbole de chance et
de prospérité et célébré lors du nouvel an chinois.
Il a un corps de serpent, une gueule barbue et cache
sous les replis de son menton ou dans sa gorge une grosse
perle qui apporte le bonheur, l'abondance, la sagesse et
la connaissance à celui qui la possède. Le dragon est aussi
symbole de pouvoir. Sous l'Empire chinois, l'empereur et
les grands dignitaires portaient une robe de cérémonie
ornée d'un dragon à cinq griffes.

LES HYDRES

Les hydres sont des dragons à sept ou
neuf têtes, à l'haleine pestilentielle et
mortelle. Dans la mythologie grecque,
on raconte que l'hydre de Lerne, à neuf
têtes, semait la terreur dans le pays
parce qu'elle ravageait les récoltes et le
bétail et se nourrissait de ses habitants.
Le célèbre Hercule, au fil de ses
douze « travaux », osa affronter cette
créature épouvantable qui vivait dans
un marécage, près du lac de Lerne.
Il coupa huit de ses têtes une à une et
enterra profondément la neuvième.

Dans certaines histoires mythologiques, le griffon tire le char des dieux, notamment celui d'Apollon, le dieu du Soleil. Il garde aussi les temples et les palais où se trouvent des trésors et met sa force et son courage au service de la justice.

LE GRIFFON

Le griffon est un animal magique qui apparaît dans les mythologies mésopotamienne, égyptienne, hindoue, puis grecque et romaine. Il a le corps et les pattes du lion, tandis que la tête, le cou, les serres et les ailes immenses sont ceux de l'aigle. Le majestueux griffon est réputé pour sa noblesse et sa puissance. On le voit souvent représenté sur les armoiries médiévales ou bien sculpté sur les cathédrales. Dans « Harry Potter », il symbolise l'une des quatre maisons du collège Poudlard : celle des Gryffondor.

Dans les légendes, une jeune fille pure sert d'appât pour permettre aux chasseurs de capturer la licorne.

LA LICORNE

La belle licorne est un cheval blanc ayant une corne blanche torsadée au milieu du front. Cette créature fabuleuse, qui vit dans les forêts et les prairies, est symbole de pureté et de courage. Sa corne lui confère des pouvoirs magiques et bienfaisants : elle sert d'antidote à tous les poisons et permet de lutter efficacement contre les maladies. Les hommes ont toujours cherché à capturer les licornes pour les priver de leur corne et utiliser ses pouvoirs à leurs propres fins. Mais elles ne se laissent pas attraper facilement !

LE BASILIC

Le basilic est une créature surprenante, qui mesure environ 50 cm et tient à la fois du coq et du serpent. Sa longue queue de serpent, recouverte d'écailles, se termine en pointe de lance. D'après certaines histoires, le basilic naît d'un gros œuf pondu par un coq et couvé par un serpent ou un crapaud. Son regard est si puissant qu'il peut tuer quiconque s'y expose ! Son souffle est lui aussi mortel et dessèche à jamais toute la végétation qui se trouve à sa portée.

Avec son regard foudroyant, le basilic peut enflammer les oiseaux en plein vol.

LA CHIMÈRE

es chimères sont des créatures rrifiantes, mélange de plusieurs maux. Dans certaines légendes, elles ont une tête de lion, un rps de chèvre et une queue de pent. Dans d'autres, ce sont des atures à trois têtes : la première e lion, la deuxième de chèvre et la troisième de serpent, qui termine la queue de la chimère.

11

Mi-femmes mi-bêtes

Les sirènes, mi-femmes mi-poissons

Dans les histoires imaginaires, les sirènes ont la tête et le buste d'une très belle femme, tandis que le bas de leur corps est celui d'un poisson couvert d'écailles brillantes. Elles habitent dans de splendides palais cachés sous les flots. Ces sirènes-là n'ont pas bonne réputation. Avec leur beauté envoûtante, leurs longs cheveux qu'elles coiffent sans cesse et leur chant irrésistible, elles cherchent à séduire les marins. Ces derniers, fascinés, finissent par plonger pour les retrouver et se noient.

Les Gorgones

Issues de la mythologie grecque, les Gorgon[es] ont un visage de femme, avec des défenses [de] sanglier qui leur sortent de la bouche. Elles [ont] des serpents sur la tête en guise de cheveu[x]. Tous ceux qui regardent une Gorgone en face sont changés sur-le-champ en statues de pierre.

Dans certains récits, les sirènes veulent le bien des humains et font ce qu'elles peuvent pour les sauver des dangers de la mer. Parfois, elles tombent amoureuses d'un homme. C'est le cas de la petite sirène du conte d'Andersen, qui, pour séduire un prince, troque sa langue et sa queue de poisson contre des jambes humaines superbes, qui la font horriblement souffrir.

Les sirènes oiseaux

Dans la mythologie grecque, les sirènes n'ont pas le bas du corps d'un poisson, mais celui d'un oiseau. Elles ont une voix très mélodieuse et chantent au-dessus des mers pour faire perdre la tête aux marins, provoquant le naufrage de leurs bateaux. Lors de son grand voyage, Ulysse rencontre certaines de ces sirènes, mais il ordonne à ses compagnons de se boucher les oreilles avec de la cire.

Lui-même décide d'écouter leur chant d'une beauté sans pareille, mais, pour résister à la tentation de suivre ces créatures fabuleuses, il se fait solidement attacher au mât de son navire.

Les Harpies

Les Harpies sont des créatures effrayantes et repoussantes de la mythologie grecque. Elles sont un mélange de femme et de rapace, avec des ailes immenses et des serres acérées, servant à saisir et à déchiqueter les proies. Leur visage est très laid, semblable à celui d'une sorcière. Tout en elles respire la saleté et la crasse. De plus, elles laissent derrière elles une odeur nauséabonde.

Les Harpies n'ont qu'une idée en tête : faire le mal autour d'elles. Très rapides, elles dévorent tout sur leur passage. Elles apportent la tempête, la famine et la maladie, et enlèvent des humains, des enfants surtout. Leur appétit féroce les pousse à fouiller les détritus à manger les déchets. Très souvent, elles s'attaquent aux marins naufragés sur les rivages et les mettent en pièces.

Mi-hommes mi-bêtes

Les satyres

Les satyres sont des créatures masculines qui apparaissent dans la mythologie grecque et prennent le nom de faunes dans la mythologie romaine. Ils ont la tête et le buste d'un homme, portent deux cornes de bouc sur le front et ont les oreilles en pointe. Leur queue et leurs membres inférieurs sont ceux du bouc, avec des sabots en guise de pieds. Ils sont tantôt associés à Pan, dieu des Bergers et des Troupeaux, dont ils seraient les compagnons, tantôt à Dionysos, dieu de la Végétation, et surtout du Vin et de la Vigne.

Les satyres ne sont pas des êtres très fréquentables. Ils vivent dans la forêt et passent leur temps à boire du vin, à jouer de la flûte ou de la corne et à danser. Plutôt fainéants et égoïstes, ils prennent plaisir, quand ils ont trop bu, à poursuivre les belles nymphes.

Les loups-garous

Dans les histoires imaginaires, le loup-garou est un homme qui peut se transformer en loup, soit parce qu'il a été mordu par un loup ou un autre loup-garou, soit par l'effet d'un sortilège ou encore parce qu'il a conclu un pacte avec le diable. Il s'agit souvent d'un être solitaire, qui vit en marge de la société. Le loup-garou a l'agilité et la férocité du loup. La métamorphose a généralement lieu pendant la nuit, lors de la pleine lune. L'homme ne conserve alors que sa voix.

La transformation faite, le loup-garou se met à hurler à la mort et part en quête de proies humaines, des adultes et même des enfants, qu'il déchiquette et dévore. Une fois qu'il a repris sa forme humaine, il est affaibli et sans appétit. Il n'a aucun souvenir de ses méfaits nocturnes.

Le Minotaure

Le Minotaure est un monstre difforme et repoussant de la mythologie grecque. Mi-homme, mi-bête, il a une tête de taureau, de longues cornes effilées et un corps d'homme. Enfermé dans un labyrinthe inextricable, il se nourrit des jeunes gens qu'on lui sacrifie. Aucun homme ne parvient à le combattre jusqu'au jour où le héros Thésée prend la place d'une des victimes. Il surprend le Minotaure dans son sommeil et le tue.

Les Centaures, habiles combattants, aiment boire du vin jusqu'à s'enivrer. Ils ont la réputation d'être brutaux, bagarreurs et d'avoir plus de muscle que de cervelle !

Les Centaures

Issus de la mythologie grecque, les Centaures ont la tête, le buste et les bras d'un homme, et le bas du corps d'un cheval. On pense qu'ils doivent leur origine à la première vision que l'on a eue d'un cavalier, donnant l'impression que l'homme et sa monture ne formaient qu'une seule et même créature.

LES GÉANTS

Les géants sont des êtres colossaux qui s'imposent par leur taille impressionnante : ils mesurent généralement plus de 4 m et peuvent même atteindre 60 m. Ils pèsent des centaines de kilos, voire plusieurs tonnes. Selon les légendes, ils sont bienfaisants pour les hommes ou, au contraire, peuvent représenter une sérieuse menace.

Selon le mythe, c'est après leur combat victorieux contre les géants que les dieux de l'Olympe se partagent l'Univers.

DAVID ET GOLIATH

Dans la Bible, le géant Goliath semait la panique à cause de sa taille (presque 3 m de hauteur) et de sa force. Il finit, contre toute attente, par être vaincu par David, un jeune berger qui lui jette une pierre en plein milieu du front. Le colosse tombe par terre et il est décapité par David.

LES VOYAGES DE GULLIVER

Gulliver sauve les habitants de Lilliput d'une invasion en capturant les bateaux ennemis et en les conduisant vers le port de l'île.

LES PREMIERS GÉANTS

Dans la mythologie grecque, les géants naissent avant les dieux. Ce sont les enfants d'Ouranos (le Ciel) et de Gaïa (la Terre). Ils comptent parmi les premiers habitants de la planète et s'opposent plus tard aux dieux de l'Olympe lors d'un combat qu'ils perdent. Ces êtres énormes sont d'une force inouïe et d'un aspect effroyable. Ils ont une épaisse chevelure, une barbe hirsute et des serpents en guise de jambes.

Il existe des géants hideux mais bienfaisants. Dans la saga « Harry Potter », écrite par la romancière anglaise J. K. Rowling, Hagrid, gardien des Clés et des Lieux à Poudlard, l'école des sorciers, est un demi-géant aux longs cheveux noirs et à la barbe broussailleuse. Son attachement pour Harry Potter est réel et réciproque. Il fait ce qu'il peut pour protéger le jeune sorcier tout au long de ses aventures.

es Voyages de Gulliver », roman écrit 1721 par l'Irlandais Jonathan Swift, ttent en scène un géant qui voyage ravers le monde et rencontre des ilisations très différentes. Au cours son premier voyage, il s'échoue l'île de Lilliput et se propose ider l'empereur de l'île dans guerres qu'il mène contre utres pays.

LES CYCLOPES

Créatures de la mythologie grecque, les Cyclopes sont des géants effrayants, d'une force monumentale, pourvus d'un seul œil au milieu du front. Le plus célèbre est Polyphème, un gardien de troupeau qui se nourrit surtout de chair humaine. Lors de son grand voyage, Ulysse est fait prisonnier avec ses compagnons dans la grotte du Cyclope. Pour pouvoir s'échapper, ils enivrent le monstre et crèvent son œil unique avec un pieu.

17

LES OGRES ET LES TROLLS

Les ogres, très présents dans les contes de Charles Perrault, ne sont rien d'autre que des géants bêtes, cruels, malpolis, et ronfleurs. Certains ont même des pouvoirs magiques. Ils possèdent de grandes richesses, dont les petits malins qui réussissent à leur échapper profitent largement. Dans la mythologie nordique, on rencontre également des êtres de très grande taille appelés trolls. Ils incarnent la force naturelle tout autant que la bêtise et la méchanceté, et vivent dans des grottes creusées dans les montagnes.

Des êtres répugnants

Les ogres ont de grandes et grosses mains prêtes à attraper leurs victimes et des crocs qui leur sortent de la bouche. Rien de tel que leur odorat très développé pour les aider à détecter la bonne chair fraîche. Ils vivent généralement dans les montagnes, les cavernes ou les grottes. Certains habitent dans des châteaux splendides, comme l'ogre du « Chat botté » et celui de « Jacques et le haricot magique ».

Des monstres pas très rusés !

Heureusement, ceux qui rencontrent l'ogre sont beaucoup plus intelligents que lui. C'est cas du Petit Poucet, qui échang son bonnet de nuit et celui de ses frères contre les couronnes des filles de l'ogre. C'est alors que ce dernier dévore par erreur ses propres enfants !

Un appétit d'ogre

Les ogres se délectent de la chair humaine fraîche, et surtout de celle des enfants. Ils apprécient particulièrement leurs victimes quand elles sont cuites à la broche et bien assaisonnées !

LES TROLLS

Les trolls sont des êtres solitaires qui n'apprécient guère la compagnie des humains. Certains sont hideux, poilus, avec des canines inférieures qui leur sortent de la bouche, un énorme nez et de grandes oreilles. D'autres ont une peau épaisse et sans poils de la couleur de la roche. Tous sont lents de gestes et d'esprit, et il est facile de leur jouer de mauvais tours ! On dit qu'ils ont un appétit d'ogre et qu'ils dévorent volontiers la chair humaine. Ils pêchent de gros poissons qu'ils avalent d'un coup et cultivent dans leurs grottes des champignons dont ils raffolent.

Shrek, l'ogre gentil

Si la plupart des ogres sont cruels, en existe aussi de sympathiques et malicieux qui ne font pas de mal aux nfants, comme Shrek, l'ogre verdâtre ci-dessus avec la princesse Fiona et âne). Bien que grognon et prêt à tout pour protéger le marais dans lequel vit, il n'aime pas qu'on le haïsse et 'effraie souvent que pour s'amuser.

Dans le conte, le malin Petit Poucet profite de la sieste de l'ogre pour lui voler ses bottes de sept lieues. Grâce à elles, il rejoint au plus vite la femme de l'ogre et la convainc par ruse de lui donner toute la fortune de son époux.

Les sorcières

Les sorcières peuplent les contes et les récits traditionnels. Elles sont souvent vieilles et voûtées, toujours très laides et malintentionnées, comme la vilaine sorcière du conte des frères Grimm « Hänsel et Gretel » qui attire les enfants dans une maison en pain d'épices pour les faire rôtir et les manger. Mais les sorcières ne vivent pas uniquement dans les contes : au fil des siècles, des femmes dotées de dons de guérisseuse étaient prétendues sorcières. Jusqu'au XVIIᵉ siècle, certaines furent même persécutées.

De drôles de compagnons

Les sorcières sont souvent accompagnées d'animaux nuisibles : chat noir, corbeau, crapaud, chouette ou rat. Elles notent les recettes de leurs potions et leurs formules magiques dans un grimoire, un livre aux inscriptions mystérieuses pour qui ne pratique pas la sorcellerie.

Des jeteuses de sorts

On prête aux sorcières le pouvoir de commettre de nombreux méfaits. C'est même là une de leurs spécialités ! D'après les croyances populaires, ces vieilles femmes au long nez crochu et couvertes de verrues peuvent transformer les humains en animaux, anéantir les récoltes en déclenchant tempêtes et pluies de grêle ou jeter de mauvais sorts.

Dans les histoires imaginaires, la sorcière habite souvent une petite cabane dissimulée dans la forêt. Elle passe beaucoup de temps à concocter des potions maléfiques dans un immense chaudron.

Un balai magique

Les sorcières des contes possèdent un balai magique qui leur permet de se déplacer partout. Pour qu'elles puissent s'envoler, elles doivent s'enduire [l]e corps d'une pommade spéciale, qu'on [app]elle onguent, composée de suie, de [bav]e de crapaud, de plantes et de sang [de] chauve-souris.

La méchante sorcière de « Blanche-Neige et les sept nains » offre à la jeune fille une pomme empoisonnée qui lui fait perdre connaissance.

La chasse aux sorcières

Aux XVIe et XVIIe siècles, un certain nombre de femmes considérées comme des sorcières furent persécutées. On leur reprochait d'être des adeptes du diable, de qui elles étaient censées détenir leurs pouvoirs magiques. Avoir un comportement étrange, cueillir des plantes inhabituelles, être trop laide ou trop jolie... tout ou presque prouvait qu'on pratiquait la sorcellerie. Mains et pieds attachés, la femme était jetée dans une rivière. Si elle flottait, c'est qu'elle était une sorcière, car celle-ci était réputée être plus légère que l'eau ; dans le cas contraire, l'innocente se noyait ! Beaucoup d'accusées terminaient sur le bûcher.

La réunion des sorcières

Au Moyen Âge, on racontait que les sorcières se réunissaient plusieurs fois par an au cours d'une grande cérémonie nocturne présidée par le diable : le sabbat, qui se tenait dans un lieu retiré et discret, comme un cimetière. Les sorcières dînaient, dansaient et échangeaient leurs recettes, se félicitant de leurs maléfices et mettant au point de nouveaux sortilèges...

LES FÉES

Dans les contes, les fées sont des créatures féminines et surnaturelles qui ont des pouvoirs magiques. Elles vivent en dehors du monde des humains, dans des lieux où la nature est préservée, des clairières, des forêts ou des bois. On les représente souvent comme de jolies femmes très bien vêtues, rayonnantes de lumière, munies quelquefois d'ailes transparentes dans le dos. Elles peuvent être minuscules, comme la fée Clochette dans « Peter Pan », mais elles ont le pouvoir de changer d'apparence. Les fées ne sont pas immortelles, mais peuvent vivre très longtemps.

Les fées disposent quelquefois d'une baguette magique, avec laquelle elles réalisent toutes sortes d'enchantements. Ainsi, la fée de « Cendrillon » change les vieux habits de la jeune fille en robe de bal magnifique et une citrouille en carrosse ! Les fées se servent aussi de livres qui contiennent des formules magiques, écrites avec une encre qu'elles seules peuvent voir.

Gardiennes de la nature

Selon certaines légendes, les fées sont les filles de la nature. Elles vivent en harmonie avec les plantes et les fleurs, et les soignent lorsqu'elles sont malades. Ces êtres surnaturels ont également le pouvoir de faire le bonheur des hommes et de les protéger. Légères et virevoltantes, les fées aiment se réunir pour danser dans les prairies ou autour des étangs.

De bonnes et de mauvaises fées

Dans de nombreux contes, il existe des fées marraines qui veillent sur leur filleul. À la naissance de leur petit protégé, ces fées se penchent sur son berceau pour lui offrir des dons. Mais certaines sont tout aussi malfaisantes que les sorcières. C'est ainsi que, dans « La Belle au bois dormant », la mauvaise fée Carabosse condamne la petite princesse à se piquer mortellement le doigt avec un fuseau à l'âge de 15 ans. Heureusement, une bonne fée est là pour atténuer le mauvais sort.

LES ONDINES

Les nymphes sont elles aussi des êtres féeriques. Ce sont les esprits de la nature. Dans les pays germaniques et scandinaves, celles qui règnent sur les eaux douces, comme les rivières, les étangs, les lacs et les cascades, sont appelées ondines. Ces créatures d'une beauté à couper le souffle ne sont pas bienveillantes, contrairement aux fées. Tout comme les sirènes, elles cherchent à séduire les humains et à les ensorceler par tous les moyens.

LUTINS, GNOMES, NAINS ET GÉNIES

Les lutins, tout comme les gnomes, sont de petits êtres qui ne mesurent généralement pas plus de 30 cm. Les nains sont un peu plus grands, ne dépassant pas 1 m. Tous sont très attachés à la nature. Les lutins vivent dans la forêt ou à la campagne, et les gnomes sous la terre. Les génies, eux, peuvent malmener les êtres humains, mais aussi leur porter secours.

LES GNOMES

Les gnomes ont un visage ridé, une longue barbe blanche et sont coiffés d'un chapeau rouge et pointu. Leur chemise est généralement bleue et leur pantalon rentré dans leurs bottes. Ils peuvent côtoyer les humains en venant s'installer dans leurs maisons. Ils se rendent alors très utiles, à condition d'être récompensés d'un verre de lait ou d'une tranche de pain. Cependant, leurs plaisanteries sont des plus énervantes : ils renversent des seaux d'eau, défont les piles de linge, cassent la vaisselle et font claquer les portes...

Les gnomes peuvent vivre 500 ans. Ils installent parfois leur maison dans la terre, sous une souche d'arbre. C'est un petit nid douillet, où ils vivent en famille. Leurs femmes s'appellent des gnomides.

LES LUTINS

Ce sont des créatures malicieuses, aux yeux étillants et à la bouche toujours rieuse. Ils ont s oreilles et le menton pointus. Ils vivent entre 300 et 500 ans, mais ont l'air éternellement unes. Leurs vêtements, verts et bruns, plutôt és, se confondent avec la forêt dans laquelle vivent. On peut les rencontrer près des racines des arbres, des champignons et des fleurs. s aiment la compagnie des fées, ce qui ne les mpêche pas de leur faire beaucoup de farces.

LES GÉNIES

Les génies, qui prennent le nom de djinns dans la mythologie orientale, sont des créatures merveilleuses aux pouvoirs magiques que l'on peut rencontrer dans les grottes ou dans les éléments naturels, comme le feu et l'air, et qui se dissimulent également dans toutes sortes d'objets. Ils peuvent prendre la forme d'un être humain aussi bien que celle d'un animal. L'un des génies les plus célèbres est celui qui sort de la lampe merveilleuse d'Aladin quand ce dernier la frotte. Il comble tous les désirs du jeune homme et lui apporte le bonheur.

LES NAINS

Ils se laissent pousser la barbe et sont souvent coiffés d'un chapeau pointu. Grâce à leurs vêtements ternes, ils peuvent passer inaperçus. Ils mènent une vie souterraine et évoluent dans les profondeurs de la terre. Ils piochent et creusent pour dénicher des pierres précieuses et extraire de l'or et de l'argent. Ces infatigables travailleurs sont fabuleusement riches mais restent assez secrets sur leurs pouvoirs. Les nains les plus connus sont ceux qui accueillent Blanche-Neige dans leur maison.

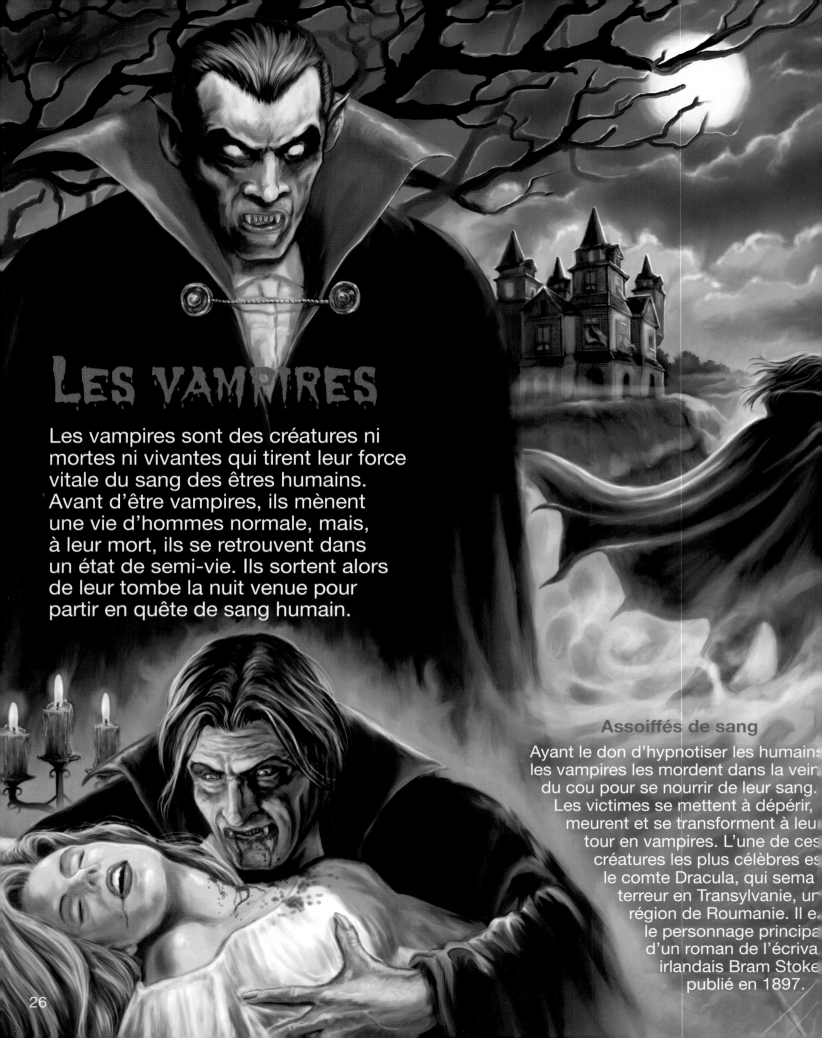

LES VAMPIRES

Les vampires sont des créatures ni mortes ni vivantes qui tirent leur force vitale du sang des êtres humains. Avant d'être vampires, ils mènent une vie d'hommes normale, mais, à leur mort, ils se retrouvent dans un état de semi-vie. Ils sortent alors de leur tombe la nuit venue pour partir en quête de sang humain.

Assoiffés de sang

Ayant le don d'hypnotiser les humains, les vampires les mordent dans la veine du cou pour se nourrir de leur sang. Les victimes se mettent à dépérir, meurent et se transforment à leur tour en vampires. L'une de ces créatures les plus célèbres est le comte Dracula, qui sema la terreur en Transylvanie, une région de Roumanie. Il est le personnage principal d'un roman de l'écrivain irlandais Bram Stoker publié en 1897.

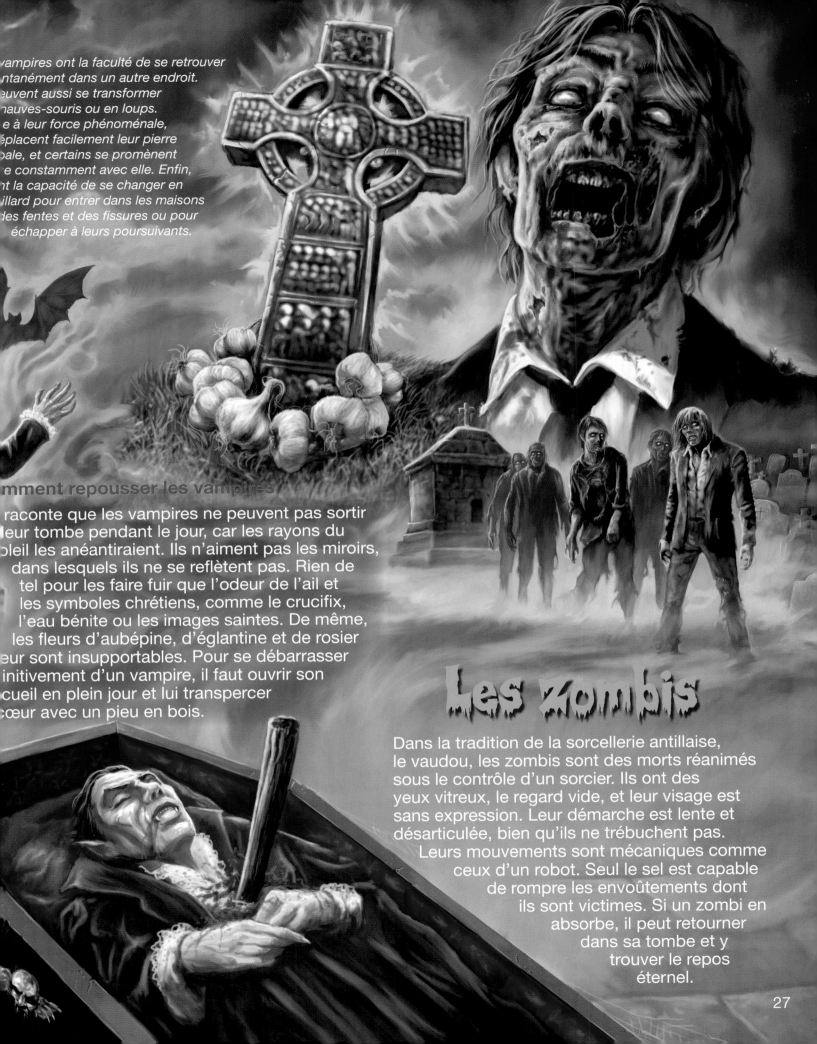

vampires ont la faculté de se retrouver
ntanément dans un autre endroit.
euvent aussi se transformer
hauves-souris ou en loups.
e à leur force phénoménale,
éplacent facilement leur pierre
ale, et certains se promènent
e constamment avec elle. Enfin,
t la capacité de se changer en
illard pour entrer dans les maisons
des fentes et des fissures ou pour
échapper à leurs poursuivants.

mment repousser les vampires ?

raconte que les vampires ne peuvent pas sortir
eur tombe pendant le jour, car les rayons du
oleil les anéantiraient. Ils n'aiment pas les miroirs,
dans lesquels ils ne se reflètent pas. Rien de
tel pour les faire fuir que l'odeur de l'ail et
les symboles chrétiens, comme le crucifix,
l'eau bénite ou les images saintes. De même,
les fleurs d'aubépine, d'églantine et de rosier
eur sont insupportables. Pour se débarrasser
initivement d'un vampire, il faut ouvrir son
cueil en plein jour et lui transpercer
cœur avec un pieu en bois.

Les zombis

Dans la tradition de la sorcellerie antillaise,
le vaudou, les zombis sont des morts réanimés
sous le contrôle d'un sorcier. Ils ont des
yeux vitreux, le regard vide, et leur visage est
sans expression. Leur démarche est lente et
désarticulée, bien qu'ils ne trébuchent pas.
Leurs mouvements sont mécaniques comme
ceux d'un robot. Seul le sel est capable
de rompre les envoûtements dont
ils sont victimes. Si un zombi en
absorbe, il peut retourner
dans sa tombe et y
trouver le repos
éternel.

27

TABLE DES MATIÈRES

MDS : 660670
ISBN : 978-2-215-10484-1
© FLEURUS ÉDITIONS, 2010
Dépôt légal à la date de parution.
Conforme à la loi n° 49-956 du 16 juillet 1949
sur les publications destinées à la jeunesse.
Imprimé en Italie (11-11)